KB122361

문이 열리면

펴낸날 초판 1쇄 2021년 12월 15일 | 초판 2쇄 2022년 6월 7일 | 글 민 레 | 그림 댄 샌탯 | 옮김 노은정
펴낸이 서명지 | 개발책임 홍연숙 | 기획·편집 고선미 | 디자인 송유미
마케팅책임 김영재 | 제작책임 이현애
펴낸곳 ㈜키즈스콜레 | 출판신고 제2022-000036호
주소 서울특별시 서초구 방배천로 91 9층 | 주문 전화 02)829-1825 | 주문 팩스 070)4170-4316 | 내용 문의 070)8209-6140

LIFT
Text copyright ⓒ2020 by Minh Lê
Illustrations copyright ⓒ2020 by Dan Santat
All rights reserved. Publibshed by Disney *Hyperion, an imprint of Disney Book Group.
This edition published by arrangement with Little, Brown and Company, New York, NY.
All rights reserved.
Korean translation copyright ⓒ 2021 by Kidsschole Inc.
Korean translation rights arranged with Little, Brown and Company through EYA(Eric Yang Agency)

이 책의 한국어판 저작권은 EYA(Eric Yang Agency)를 통한 Little, Brown and Company와의 독점 계약으로 ㈜키즈스콜레에 있습니다.
저작권법에 의해 한국 내에서 보호를 받는 저작물이므로 무단 전재와 무단 복제를 금합니다.

ISBN 979-11-6825-236-3
•잘못 만들어진 책은 구입한 곳에서 바꾸어 드립니다.
•오늘책은 ㈜키즈스콜레의 단행본 브랜드입니다.

내 이름은 아이리스야.

착 가라앉은 기분을 띄우는 데는

엘리베이터 버튼 누르기가 역시 최고야!

올라갈 때도, 내려갈 때도 버튼은 늘 내가 눌렀어.

화요일

수요일

맨날맨날 내가 꾸욱꾸욱 눌렀어.

그런데 어느 날……

빼앗겠어.

심통이 났어. 그래서 나쁜 짓인 줄 알면서도……

팅.

팅.

팅.

집에 돌아온 나는 혼자 있고 싶어졌어.

아니, 그냥 어디로든 뿅 가 버리고 싶었어.

팅!

잠깐만!
우리 저녁부터 먹자.
그 다음에……

별나라 탐험

우리 보드게임 하자!

딸깍!

드디어 혼자가 됐어.

꾸욱

팅!

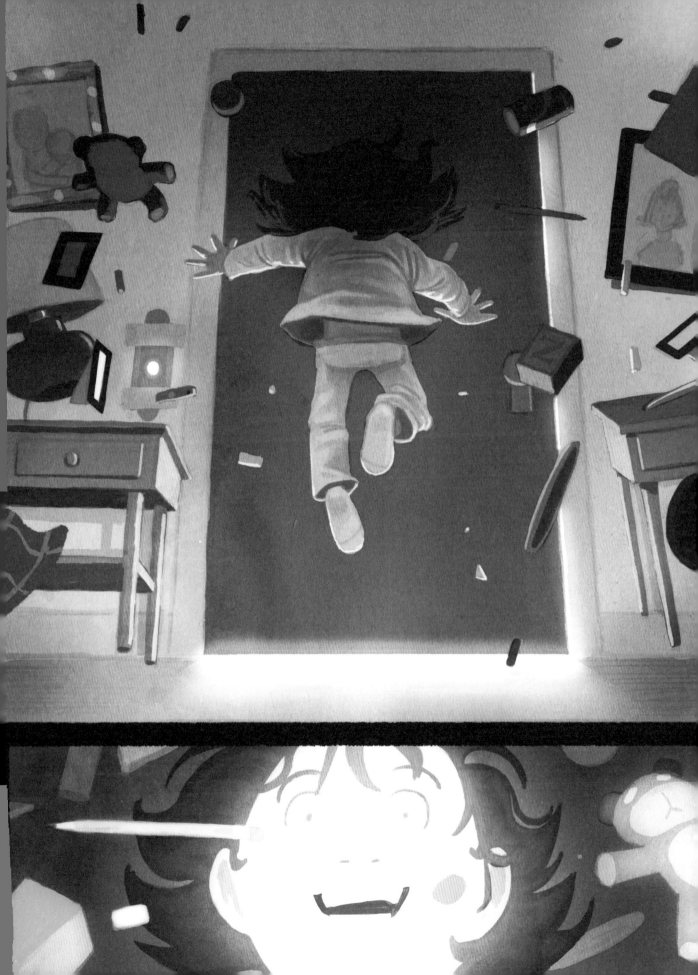

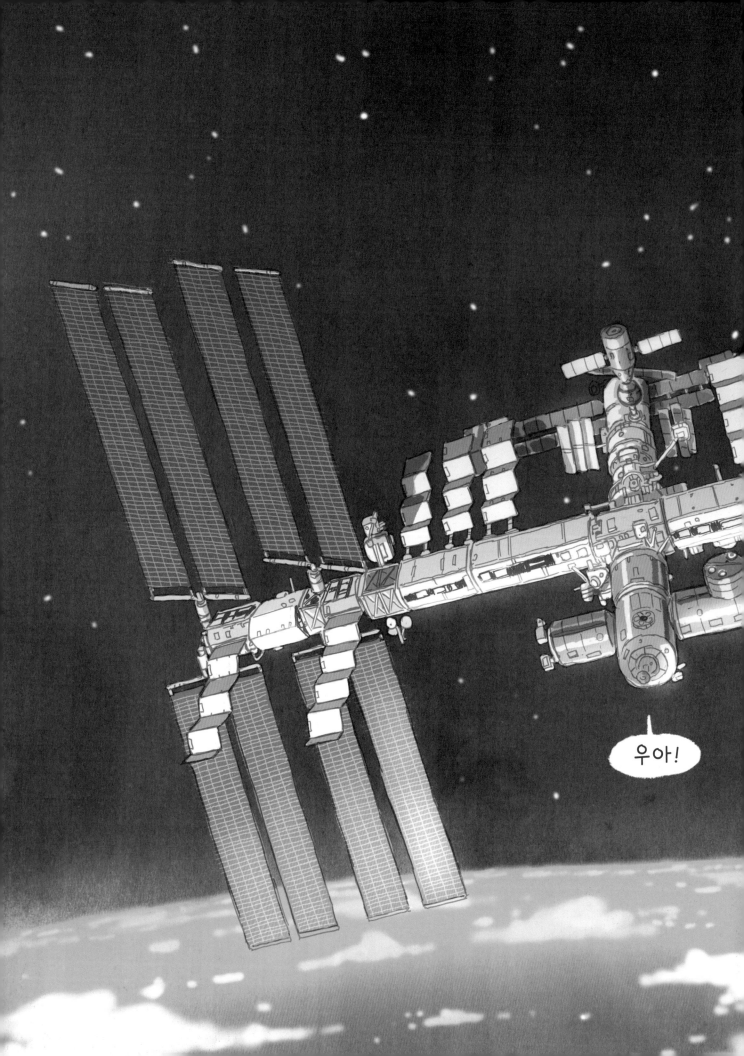

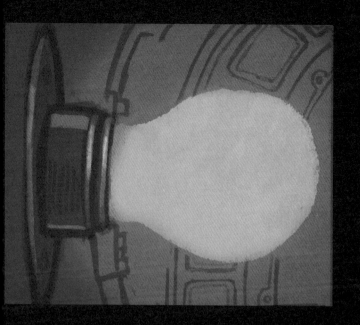

슈우우웅……

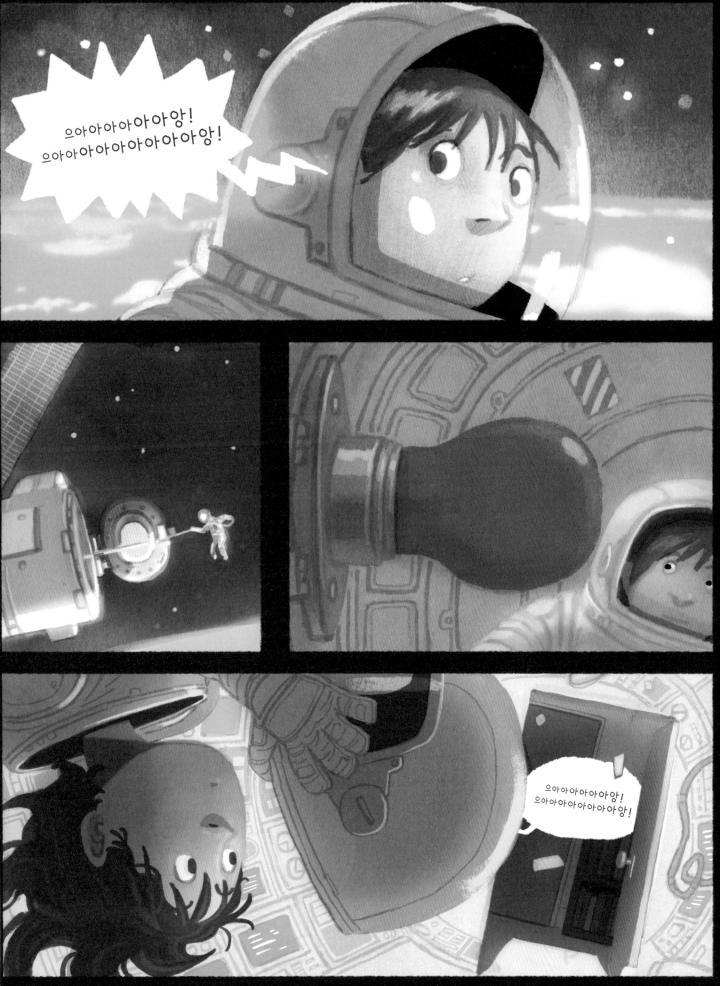

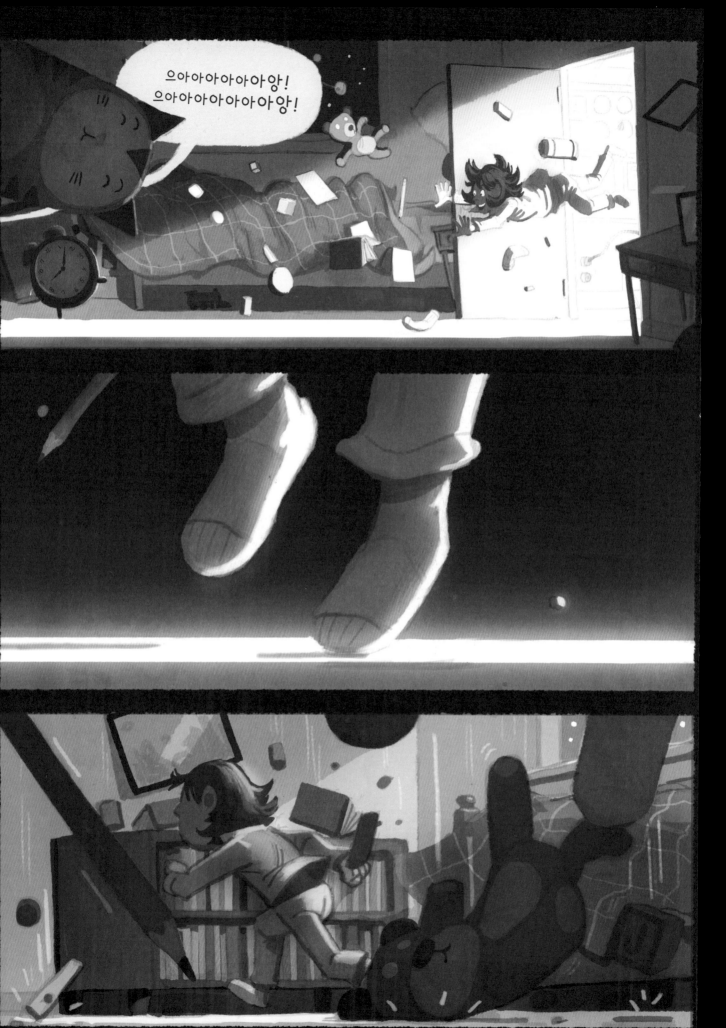

네가 왜 우는지
이 누나가 알지.

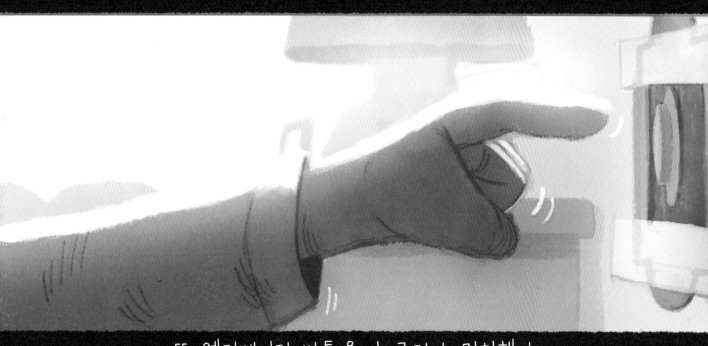

또 엘리베이터 버튼을 누르려다 멈칫했어.

나도 키가 닿지 않을 때가 있었으니까.

평생토록 서로를 북돋워 준 고마운 나의 누이 티엔과 비에게.
- 민 레

알렉과 카일에게.
- 댄 샌탯

글 민 레
미국에서도 유명한 유아 정책 전문가예요. 다트머스 칼리지를 졸업하고
하버드 대학에서 교육학 석사를 마친 후, 지금은 미국 캘리포니아주 샌디에이고에 살고 있어요.
민 레가 직접 글을 쓰고 댄 샌탯이 그림을 그린 《우리는 딱이야》는 아시아태평양계 미국 문학상을 받았어요.
그 밖에도 거스 고든이 그림을 그린 《완벽한 자리》와 이사벨 로하스가 그림을 그린 《나 혼자 읽을 거야!》에도 직접 글을 썼고,
《뉴욕 타임즈》, 《더 혼 북》, 《허프포스트》에도 글을 썼답니다.
집에서 훌륭한 아내와 아이들과 같이 보내는 시간도 즐겁지만, 책 속에 푹 빠져 있는 시간도 즐거워한답니다.

그림 댄 샌탯
칼데콧상을 수상한 작가예요. 《비클의 모험》을 비롯해서 《해롤드 & 호그 진짜인 척!》,
《우리는 넷, 쿠키는 셋》, 《떨어질까 봐 무서워》 등의 책을 쓰고 그렸을 뿐만 아니라,
디즈니의 히트 애니메이션 <리플레이스먼트>의 창작자이기도 하답니다.
지금은 부인과 두 아들과 함께 캘리포니아주에 있는 집에서 토끼와 새, 고양이를 키우며 살고 있어요.

옮김 노은정
연세대학교 영어영문학과를 졸업하고 늘 감사하는 마음으로 번역을 하고 있습니다.
《마법의 시간여행》 시리즈, 《마녀 위니》 시리즈, 《43번지 유령 저택》 시리즈 등을 비롯해
《털털이 괴물도 이를 닦는다고?》, 《여우지만 호랑이입니다》 등 이루 꼽을 수 없을 만큼 많은 책들을 우리말로 옮겼습니다.
그리고 요즘은 틈틈이 거피와 물달팽이 같은 물속 생물들과 이야기를 나누는 소소한 마법도 수련하고 있습니다.